CW00538974

Les Lectures ELI présentent une gamme complète de publications allant des histoires contemporaines et captivantes aux émotions éternelles des grands classiques.

Elles s'adressent aux lecteurs de tout âge et sont divisées en trois collections : Lectures ELI Poussins, Lectures ELI Juniors et Lectures ELI Seniors. En dehors de la qualité éditoriale, les Lectures ELI fournissent un support didactique facile à gérer et capturent l'attention des lecteurs avec des illustrations ayant un fort impact artistique et visuel.

Mary Flagan

Le souvenir d'Égypte

Illustrations de LibellulArt

Lectures ELI Juniors

Le souvenir d'Égypte
Mary Flagan
Version Française : Corinne Baldovini
Adaptation, dossiers et activités de Mery Martinelli
Illustrations de LibellulArt

ELI Readers
Création de la collection et coordination éditoriale
Paola Accattoli, Grazia Ancillani, Daniele Garbuglia (Directeur artistique)

Conception graphique
Sergio Elisei

Mise en page
Valentina Mazzarini

Responsable de production
Francesco Capitano

Crédits photographiques
Marka, Shutterstock

© 2010 ELI S.r.l
B.P. 6 - 62019 Recanati - Italie
Tél. +39 071 750701
Fax +39 071 977851
info@elionline.com
www.elionline.com

Fonte utilisée 13 / 18 points Monotype Dante

Achevé d'imprimer en Italie par Tecnostampa Recanati
ERT 217.01
ISBN 978-88-536-0551-1

Première édition Février 2010

www.elireaders.com

Sommaire

Les parties de l'histoire enregistrées sur le CD sont signalées par les symboles qui suivent :
Début ▶ Fin ◼

Les personnages principaux

Valérie

Paul

Madame Chabaud

Le professeur
Legrand

Vocabulaire

1 **Remets dans l'ordre les lettres des mots mystérieux et découvre ce que tu peux voir en Égypte ou dans un musée égyptien.**

des PHRIHÉYEGLOS ....*hiéroglyphes*.............

a des RACABÉSES ....

b des YPRADEMIS ....

c le STEDÉR ....

d des PHACOSARGES ....

e des SOMMIE ....

2 **Associe chaque mot à sa définition.**

☑ mystère

1 ☐ souvenir

2 ☐ limousine

3 ☐ affaire

4 ☐ enquête

5 ☐ déguisement

a ensemble de recherches finalisées à faire la lumière sur quelque chose

b très longue voiture de luxe

c travestissement pour ne pas être reconnu

d événement énigmatique, inexplicable

e situation qui fait l'objet d'un ensemble de recherches

f objet vendu aux touristes

Grammaire

3 Mets les verbes qui suivent au présent de l'indicatif.

(se promener)　　　　　(je) ...*je me promène*...

1 (se souvenir)　　　　(elle) ....

2 (se transformer)　　(tu) ....

3 (ne pas se réveiller)　(ils) ....

4 (ne pas s'arrêter)　　(nous) ....

5 (s'en aller)　　　　　(vous) ....

6 (s'endormir)　　　　(tu) ....

4 Complète les phrases par les mots de l'encadré.

c'	ce	cet	cette	ces

1 Aujourd'hui .....*c'*..... est mercredi.

2 .... est décidé ! Je partirai demain.

3 .... nouveau cas est vraiment difficile.

4 .... garçons sont les frères de Julie.

5 Il a déjà lu .... histoire.

6 Elle écrit tout .... qui lui sert pour l'enquête.

7 .... semaine nous avons reçu une lettre de l'étranger !

8 .... n'est pas possible !

9 J'aime beaucoup .... chaussures.

10 Je dois découvrir qui est .... personne.

11 .... sont mes lunettes de soleil.

12 Connaissez-vous l'auteur de .... ouvrage ?

13 Son père n'enseigne plus dans .... école.

Chapitre 1

Un nouveau mystère

17 mars
Un cas difficile

▶ 2 Ce nouveau cas est vraiment difficile.

J'aime beaucoup résoudre★ les mystères, mais cette fois je ne sais vraiment pas quoi faire.

Je ne peux pas me faire aider par Valérie, ma meilleure amie, ni même★ par mon frère Stéphane. Valérie est chez sa grand-mère et Stéphane… ben, d'après lui★, l'affaire est déjà résolue★. À mon avis, pas du tout★ !

Je veux écrire l'histoire de ce cas difficile, peut-être que cela va m'aider à comprendre !

résoudre trouver la solution
ni même encore moins
d'après lui selon son opinion, à son avis
l'affaire est déjà résolue on a déjà trouvé la solution
pas du tout pour rien au monde

10 mars

Visite du musée égyptien

Je visite le musée en compagnie de ma classe et de mon professeur d'histoire, monsieur Legrand.

Le musée est très beau, mais il n'y a pas beaucoup de monde : dans la salle des pharaons il n'y a que trois personnes !

Dans cette salle, il y a de très beaux objets !

Je regarde tout avec beaucoup d'attention et… incroyable ! je vois un très beau scarabée en pierre noire ; il ressemble* beaucoup au scarabée qui est sur le bureau de mon père.

— J'ai le même ! J'ai le même ! je crie.

— Pardon ? me demande le professeur.

— Le scarabée noir ! je réponds, rouge de honte. Mes parents l'ont acheté en Égypte. Bon, d'accord, ce n'est pas tout à fait* le même… Le mien a une petite bosse sur un œil et, dans le noir, il s'éclaire.

il ressemble il présente des caractères identiques
tout à fait exactement

Mes camarades de classe rient.

— C'est sûr, ce n'est pas vraiment le même ! dit
Paul. Ce n'est qu'un souvenir, un porte-bonheur★,
il n'est sûrement pas d'époque★ !

Et moi, je rougis★ encore plus. Rouge comme
une tomate.

Il y a des jours où Paul est vraiment antipathique !

un porte-bonheur un objet considéré porteur de chance
d'époque vraiment ancien, authentique
je rougis je deviens rouge

11 mars

Qu'est-ce que j'ai fait ?

Pendant le cours d'éducation physique, le principal* m'appelle dans son bureau.

– Sophie Mercier, qu'est-ce que tu as fait hier au musée égyptien ?

– Rien, Monsieur, je n'ai rien fait.

– Le directeur du musée m'a téléphoné. Alors ?

– Mais… je n'ai poussé qu'un cri*… un seul cri !

Le principal est en colère et il me dit qu'il est interdit* de crier dans un musée. Heureusement, il ne me punit pas.

le principal la personne qui dirige une école
je n'ai poussé qu'un cri j'ai crié une seule fois
il est interdit il n'est pas permis, on ne peut pas

11 mars - le soir

C'est le soir, je suis dans ma chambre. Tout à coup★, papa crie :

– Sophie, Sophie, viens ici tout de suite !

Il est en colère★. Qu'est-ce que j'ai fait encore ? Je rentre dans son bureau et il me dit :

– Sophie, tu ne dois pas jouer dans mon bureau ! Je te l'ai déjà dit !

Sur le bureau de papa, il y a beaucoup de désordre. Ce n'est pas ma faute★, moi je n'ai pas joué dans son bureau, mais lui, il ne me croit pas.

Pourquoi, quand il y a un problème, c'est toujours de ma faute★ ?

tout à coup soudain, brusquement
il est en colère il est énervé, il n'est pas content
ce n'est pas ma faute ce n'est pas moi la responsable
c'est toujours de ma faute c'est toujours moi la responsable

12 mars

La remplaçante d'histoire

Le principal entre en classe en compagnie d'une jeune femme.

— Les enfants, Monsieur Legrand est malade. Je vous présente sa remplaçante*, madame Chabaud, votre professeur d'histoire. Je ne vous demande qu'une chose : soyez sages* !

La remplaçante est jeune et très belle : elle a de très longs cheveux noirs et un regard très doux.

— Eh bien, les enfants, dit-elle ; je sais que vous préparez un projet sur les Égyptiens. Vous avez un objet égyptien à la maison ?

— Moi, j'ai un papyrus*, répond Thomas.

— Moi, j'ai une bouteille pleine de sable du désert, dit Anne.

— Sophie a un scarabée ! crie Valérie.

— Parfait ! dit la remplaçante. Lundi, apportez vos objets ! Nous ferons une leçon spéciale, sans livres.

Le nouveau professeur me plaît beaucoup. Elle a de très bonnes idées.

remplaçante femme qui prend la place de quelqu'un d'autre
sages obéissants, disciplinés
un papyrus un ancien manuscrit égyptien

La limousine noire

Après l'école, je rentre à la maison et je vois une limousine noire garée★ devant chez moi.

Les vitres sont fumées★, mais je vois le chauffeur et deux personnes assises à l'arrière.

Je n'ai jamais vu de limousine dans mon quartier ! ■

garée stationnée, arrêtée
fumées d'une couleur grise, noire

Activités de post-lecture

Compréhension

1 Relie chaque personnage à sa description.

Sophie

1 Valérie
2 Stéphane
3 M. Legrand
4 Paul
5 M. Mercier
6 Mme Chabaud

a le frère de Sophie
b un camarade de classe de Sophie
c le père de Sophie
d la meilleure amie de Sophie
e le professeur d'histoire de Sophie
f la remplaçante de M. Legrand
g l'héroïne de notre histoire

Vocabulaire

2 Indique le sens des mots ou expressions suivantes.

D'après moi veut dire :
a ☐ grâce à moi.
b ☑ à mon avis.

1 *L'affaire est déjà résolue* veut dire que :
a ☐ le cas est vraiment difficile.
b ☐ on a trouvé la solution et l'enquête est terminée.

2 *Un porte-bonheur* est :
a ☐ un talisman, une amulette.
b ☐ une boîte à bijoux.

3 *Le principal* est :
a ☐ la personne qui dirige une école.
b ☐ la personne qui remplace un professeur.

4 *Soyez sages !* veut dire que :
a ☐ vous devez rester en silence.
b ☐ vous devez être obéissants et disciplinés.

3 Complète les phrases par les expressions de l'encadré.

pas du tout	tout à fait	tout à coup

Je n'ai ..*pas du tout*.. compris ce que tu as dit.

1 Sophie est dans sa chambre. .... , son père crie.

2 Il est .... d'accord avec toi.

3 Le scarabée du musée et celui de Sophie ne sont pas .... identiques.

4 Je m'endors. .... , le téléphone sonne.

5 À mon avis, l'affaire n'est .... résolue.

6 Je crois qu'il a .... raison.

7 Avez-vous trouvé des indices ? — .... C'est un cas très difficile !

Activités de pré-lecture

Production orale (type DELF)

4 À ton avis, à qui appartient la limousine noire garée devant la maison de Sophie ? Qui peuvent être les deux personnes assises à l'arrière de la limousine ?

Ton pronostic

5 De quels objets aura besoin Sophie pour son enquête ?

a ☐ une casquette   **f** ☐ un talkie-walkie
b ☐ une loupe   **g** ☐ un appareil photo
c ☐ un plan   **h** ☐ un ordinateur
d ☐ des lunettes de soleil   **i** ☐ un sac à dos
e ☐ des jumelles   **j** ☐ un magnétophone

Maintenant, écoute le chapitre 2 et vérifie tes réponses.

Chapitre 2

Une enquête sérieuse

14 mars
Le scarabée avec la bosse

▶ 3 J'amène mon souvenir à l'école et je découvre que beaucoup de camarades de classe ont eux aussi un scarabée.

Les scarabées de mes camarades sont en couleur. Le mien au moins est tout noir, et a une bosse sur un oeil, c'est vraiment le plus laid★ !

La leçon est très intéressante et à la fin, madame Chabaud dit de mettre nos objets dans nos placards pour le lendemain.

14 mars
La poursuite

L'après-midi, je fais un tour★ en vélo.

Dans le centre, je vois à nouveau la limousine noire.

J'ai décidé : je la suis.

Le chauffeur conduit très lentement dans les rues du centre-ville. Il tourne à droite, à gauche, et ensuite s'arrête devant un supermarché.

laid moche, pas beau
je fais un tour je me promène

Le chauffeur descend et ouvre la portière* arrière*.
Une jeune femme très élégante descend de la voiture.

Mais… je la connais cette femme, elle ressemble
beaucoup à quelqu'un… non, ce n'est pas possible !

La jeune femme entre dans le magasin et sort
peu après, un sac en plastique à la main. Ensuite
elle remonte dans la voiture et la limousine repart
à plein gaz*.

Je pédale à toute vitesse, mais la voiture est plus
rapide que moi. Tans pis ! Elle est déjà loin.

la portière la porte de la voiture
arrière postérieure, de derrière
à plein gaz à toute vitesse, très vite

Chapitre 2

15 mars
Où est mon scarabée ?

10 h 00 : un nouveau cours d'histoire.

Madame Chabaud nous dit de prendre nos objets de nos placards. Moi, j'ouvre mon petit placard et je découvre que mon scarabée n'y est plus !

— Mon scarabée ! Où est-il ? Où est-il ? Il n'y est plus !

— Il est tellement laid qu'il s'est enfui* de honte, dit Paul toujours aussi antipathique.

Tout le monde rit. Alors je vais voir le professeur.

— Madame, dis-je timidement ; mon scarabée avec la bosse, il n'est plus dans mon placard.

Même le professeur rit :

— Un scarabée avec une bosse ? Qu'est-ce que tu dis ? Moi, je ne me souviens pas de ce scarabée avec une bosse !

Je suis très en colère ! Madame Chabaud ment* ! Pourquoi ? Hier, elle a vu mon scarabée, elle l'a pris dans sa main, elle l'a regardé attentivement et maintenant… pourquoi ment-elle ?

il s'est enfui il est parti
ment ne dit pas la vérité

15 mars

Je serai le commissaire Sophie Maigret

Je n'arrive pas à dormir. Je pense à mon scarabée et au mensonge de madame Chabaud… Madame le professeur Chabaud ! Ça y est ! Je sais à qui ressemble la jeune femme de la limousine noire : à madame Chabaud !

Mais alors… peut-être que, entre la limousine, le professeur Chabaud et mon scarabée il y a une relation ? Et le désordre sur le bureau de papa… et oui, ils cherchaient sûrement le scarabée !

Valérie dit que je suis trop méfiante*, que je vois des mystères même là où il n'y en a pas. Mais cette fois, il y a vraiment un mystère !

C'est décidé ! Demain, je me transformerai en Sophie Maigret. Je découvrirai ce mystère !

J'ai sommeil mais, avant d'éteindre la lumière, j'écris tout ce qui me sert pour l'enquête.

---

je suis trop méfiante j'ai trop de doutes

Déguisement :
- casquette de base-ball de mon frère ;
- lunettes de soleil de maman.

Objets nécessaires :	Plan d'action :
– jumelles de papa ;	1. trouver la limousine noire ;
– appareil photo ;	2. découvrir à qui elle appartient ;
– magnétophone.	3. ?

Je ne sais pas encore quel est le troisième point, mais je suis sûre que demain j'aurai une idée. Maintenant c'est l'heure de dormir.

Activités de post-lecture

Compréhension

1 **Dis si les affirmations sont vraies (V) ou fausses (F).**

	V	F
Sophie trouve que la leçon de Mme Chabaud n'est pas intéressante.	☐	☑
1 Parmi les camarades de classe de Sophie, personne n'a un scarabée égyptien.	☐	☐
2 Le scarabée de Sophie est en couleur.	☐	☐
3 Le scarabée de Sophie a une bosse sur un œil.	☐	☐
4 Dans la matinée du 15 mars, Sophie voit à nouveau la limousine noire.	☐	☐
5 Le chauffeur de la limousine s'arrête devant un supermarché.	☐	☐
6 La jeune femme de la limousine ressemble au professeur Legrand.	☐	☐
7 Avant de se coucher, Sophie a une idée géniale pour le troisième point de son plan d'action.	☐	☐

Production écrite (type DELF)

2 **Pourquoi Sophie dit que le professeur Chabaud ment ?**
(max. 50 mots)

....

....

....

....

....

....

....

....

Grammaire

3 Reconstitue les phrases suivantes.

même / ai / J' / le / souvenir.
J'ai le même souvenir.
....

1 par / Je / frère. / peux / pas / me / ne / faire / mon / aider / même

....

2 professeur / Même / rit. / le

....

3 là / Sophie / Valérie / dit / pas. / que / des / même / n'/ y / en / mystères / a / voit / où / il

....

4 est / a / m' / aider, / décidé / même / elle / un / peu / colère. / Maman / de / si / en

....

Activité de pré-lecture

Ton pronostic

4 Réponds aux questions ci-dessous. Puis écoute le chapitre 3 et vérifie tes réponses.

1 Combien d'hommes y a-t-il dans la limousine ?
a ☐ un   **b** ☐ deux

2 Qui aidera Sophie dans son enquête ?
a ☐ son frère   **b** ☐ son père

3 Que découvrira Sophie dans la maison devant laquelle la limousine s'est garée ?
a ☐ une personne emprisonnée   **b** ☐ un trésor

Chapitre 3

Une découverte importante

16 mars
L'enquête commence

▶ 4 Aujourd'hui c'est mercredi, je ne vais pas à l'école.

Je mets la casquette de base-ball de Stéphane et les lunettes de soleil de maman. Je sors en vitesse*, je monte sur mon vélo. Je dois trouver la limousine et découvrir qui sont ces personnes.

La voilà, la limousine, elle est garée devant l'Hôtel des Fleurs.

Oh non, elle s'en va ! Heureusement que le chauffeur conduit lentement. Je réussis à le suivre.

La voiture s'arrête devant une quincaillerie*. Le chauffeur entre, et peu de temps après sort avec un carton*. Il met le carton dans la voiture et repart. Ensuite la voiture s'arrête devant un supermarché.

en vitesse très vite
une quincaillerie un magasin d'outils
un carton une boîte en carton

Chapitre 3

La jeune femme descend de la voiture, entre dans le supermarché et, cinq minutes après, sort avec deux sacs en plastique. Le chauffeur met les deux sacs dans la voiture et repart.

Enfin, l'auto s'arrête devant la maison de monsieur Legrand. Le chauffeur, la jeune femme et un troisième homme descendent de la limousine et entrent dans la maison.

Mais… pourquoi ces personnes entrent-elles chez le professeur ?

Je ne peux pas m'approcher* : il fait jour* et ils peuvent me voir.

Je décide de rentrer à la maison et de revenir ce soir.

m'approcher aller plus près
il fait jour il y a beaucoup de lumière

16 mars
L'attente

Je suis dans ma chambre.

Bientôt il fera nuit★, je retournerai chez le professeur Legrand et je découvrirai qui sont ces personnes. Oui, je dois continuer l'enquête, je suis sûre que je suis près de la solution… Le seul problème est que j'ai peur !

Je dois parler à Stéphane. Je lui demanderai de venir avec moi. Lui, il a 17 ans et il n'a pas peur…

Cela n'a pas été facile, mais à la fin, j'ai convaincu Stéphane de venir avec moi.

16 mars – 20h30

Nous sortons.

Stéphane dit à maman et papa qu'il va prendre un livre de géographie chez un de ses amis et qu'il m'emmène avec lui.

Maman et papa nous regardent d'un air étonné★ : Stéphane et moi, nous ne sortons jamais ensemble. En tout cas, ils ne nous disent rien et nous laissent sortir.

il fera nuit il n'y aura plus de lumière
d'un air étonné surpris

16 mars – 20h45

Nous sommes devant chez monsieur Legrand. La limousine n'y est plus.

Nous grimpons à un arbre pour observer la maison et nous voyons le professeur d'histoire attaché et bâillonné★.

Nous restons un petit moment en silence, ensuite Stéphane dit :

– Nous devons téléphoner à la police. Heureusement que je n'ai pas oublié mon téléphone portable.

Malheureusement, Stéphane ne téléphone pas à la police mais aux pompiers.

– Au secours, aidez-moi ! crie-t-il désespéré★, au téléphone.

– Qu'est-ce qui se passe ? demande une voix de l'autre côté.

– Ma sœur a cinq ans, elle s'est enfermée dans la maison ! Mes parents ne sont pas là et moi, je n'arrive pas à ouvrir la porte.

Stéphane ment.

bâillonné un mouchoir sur la bouche pour l'empêcher de crier
désespéré comme un fou

— Calme-toi, calme-toi ! Où est-ce que tu habites ?

— J'habite 22 rue de la République.

— On arrive tout de suite !

— Oui, mais arrivez sans la sirène★, autrement ma sœur s'effraie★.

— D'accord, mon garçon, ne te fais pas de soucis★.

Stéphane raccroche★. Maintenant on attend… ◼

la sirène son d'alarme, d'alerte
s'effraie a peur
ne te fais pas de soucis ne t'inquiète pas
raccroche coupe la conversation au téléphone

Activités de post-lecture

Compréhension

1 Remets dans l'ordre les actions que Sophie accomplit le 16 mars.

a ☐ Elle parle à Stéphane.
b ☐ Elle voit le professeur Legrand attaché et bâillonné.
c ☐ Elle suit la limousine.
d ☑0 Elle met une casquette et des lunettes.
e ☐ Elle monte sur son vélo.
f ☐ Elle rentre à la maison.
g ☐ Elle écoute Stéphane parler aux pompiers.
h ☐ Elle sort en vitesse.
i ☐ Elle sort avec Stéphane.
j ☐ Elle trouve la limousine devant l'Hôtel des Fleurs.

Compréhension (type DELF)

2 Complète le mail que Sophie a envoyé à Valérie.

Bonjour Valérie,

Quelqu'un a volé mon (0) _scarabée_ , mais je ne sais pas pourquoi. Je crois qu'il s'agit de la même personne qui est entrée dans le (1)..................... de mon père. Pour (2)..................... ce mystère, j'ai suivi une (3)..................... noire qui était (4)..................... devant chez moi. Cet après-midi, elle s'est arrêtée (5)..................... fois : devant une quincaillerie, devant (6)..................... et devant chez le professeur Legrand. Trois personnes (7)..................... de la voiture et sont entrées chez monsieur Legrand : le chauffeur, un autre homme et (8)..................... . Quand il fera (9)..................... , j'irai de nouveau devant chez monsieur Legrand. J'ai demandé à mon (10).....................de m'accompagner. Je te tiens au courant.

À demain,

Sophie

38

Vocabulaire

3 **Complète la grille de mots croisés ci-dessous.**

HORIZONTAL

0 convaincre

1 couper la conversation au téléphone

2 magasin d'outils

VERTICAL

1 on les appelle en cas d'incendie

2 son d'alarme, d'alerte

3 contraire de « s'éloigner »

4 celui qui conduit une voiture

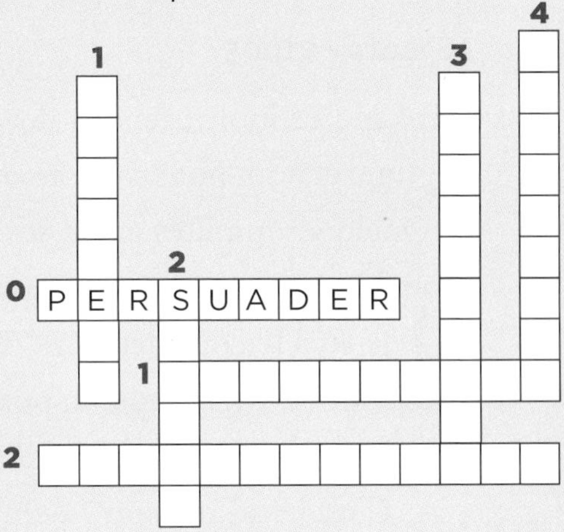

The crossword grid shows the horizontal answer at row 0: **P E R S U A D E R**

Activité de pré-lecture

Ton pronostic

4 **À ton avis, qu'est-ce qui va se passer dans le chapitre 4 ? Tu peux choisir plusieurs solutions.**

a ☐ Stéphane et Sophie libéreront monsieur Legrand.

b ☐ Les pompiers n'arriveront pas à temps pour libérer le professeur Legrand.

c ☐ Le professeur Legrand sera hospitalisé.

d ☐ Un portrait-robot des trois personnes de la limousine sera publié dans le journal.

e ☐ Sophie trouvera son scarabée.

f ☐ Sophie ne trouvera pas son scarabée.

Maintenant, écoute le chapitre 4 et vérifie tes réponses.

Chapitre 4

Un geste héroïque

16 mars - 21h05

▶ 5 Stéphane et moi revenons devant chez monsieur Legrand et nous nous cachons derrière une voiture.

Quelques minutes après, les pompiers arrivent. Mon frère et moi nous dirigeons vers eux.

– Je suis le commandant* Fabre. C'est toi qui as téléphoné ? demande un pompier à Stéphane.

– Oui Monsieur ! répond Stéphane.

– C'est cette maison ? demande à nouveau le commandant.

– Oui, c'est celle-ci, mais…

Stéphane lui raconte toute l'histoire.

Le commandant va vers la maison. Stéphane le suit*.

le commandant la personne qui commande le groupe
le suit marche derrière lui

40

Le professeur Legrand est dans la cuisine, attaché et bâillonné.

Les pompiers entrent et le libèrent.

Peu de temps après, une ambulance arrive, suivie de la police.

Les infirmiers emmènent le professeur Legrand à l'hôpital. Il est très effrayé* et il ne se sent pas bien.

Le commandant demande à Stéphane de raconter à nouveau toute l'histoire, et ensuite il nous dit de rentrer chez nous.

Stéphane me demande de ne rien raconter à maman et papa. Je suis d'accord avec lui !

---

effrayé angoissé, qui éprouve un sentiment de peur

17 mars

Un réveil à l'improviste

Je me réveille à l'improviste*. Papa crie :

— Stéphane, Stéphane, réveille-toi ! Descends tout de suite, je t'attends dans la cuisine !

J'y vais moi aussi.

Stéphane et moi allons dans la cuisine ensemble. Papa et maman sont debout et regardent le journal ouvert sur la table. Ils sont très en colère.

— Où tu es allé hier soir ? Où tu as amené Sophie ?

— Pourquoi ? demande Stéphane.

— Voilà pourquoi ! Lis le journal d'aujourd'hui !

Stéphane et moi, nous nous approchons de la table.

Dans le journal, il y a une grande photo de mon frère.

à l'improviste tout à coup

JEUNE ADOLESCENT DÉCOUVRE L'ENLÈVEMENT* D'UN ENSEIGNANT

LA POLICE ARRÊTE* LES RAVISSEURS*

Stéphane Mercier, un courageux adolescent de 17 ans, a découvert un enlèvement.

La police a arrêté les ravisseurs - deux hommes et une femme - à l'Hôtel des Fleurs. La jeune femme, Maryline Chabaud, âgée de 25 ans, est la remplaçante du professeur Legrand, au collège Marcel Pagnol. Le professeur est hospitalisé* et ne connaît pas la raison de son ravissement*. Dans la chambre de l'Hôtel des Fleurs, la police a trouvé un papyrus volé au musée National du Caire.

l'enlèvement l'action de prendre quelqu'un en otage, de le tenir prisonnier
arrête emmène en prison
les ravisseurs les personnes qui ont pris en otage le professeur
est hospitalisé est amené à l'hôpital pour être soigné
ravissement enlèvement

Je lis l'article à haute voix. Je suis très énervée. C'est moi qui ai découvert l'enlèvement, pas Stéphane ! Je suis très en colère !

17 mars

Eureka !

À l'école, tout le monde parle de Stéphane et on me dit :

– Ton frère est vraiment un héros★ !

Je suis encore plus en colère. C'est moi qui découvre l'enlèvement et c'est lui qui devient un héros. Ce n'est pas juste !

À la récréation★, je passe devant la vitrine où il y a la page du journal avec la photo de mon frère, et à l'improviste, j'ai une idée : le papyrus !

Je m'approche du journal et je regarde avec attention la photo du papyrus.

Eureka★ ! J'ai tout compris ! Mon scarabée est la clé★ du problème !

---

un héros une personne très courageuse
la récréation à l'école, la pause en milieu de matinée
eureka j'ai trouvé
la clé ici, la solution, la chose la plus importante

17 mars

Et maintenant ?

J'ai compris comment résoudre le cas, mais je ne sais pas quoi faire. J'ai besoin d'aide.

Je devrais peut-être tout raconter à maman. Oui, je crois que c'est la meilleure chose à faire. Maman comprendra et m'aidera.

À six heures, quand maman rentrera du bureau, je l'attendrai dans le jardin.

Activités de post-lecture

Compréhension

1 Écris à côté de chaque phrase le nom du personnage qui la prononce.

........*M. Fabre*........	Je suis le commandant Fabre.
1	Lis le journal d'aujourd'hui !
2	Pourquoi ?
3	C'est cette maison ?
4	Stéphane, réveille-toi !
5	Où tu es allé hier soir ?

2 Complète le texte qui suit par les mots de l'encadré.

police	ravissement	~~courageux~~	âgée
histoire	collège	enlèvement	

Stéphane Mercier, un (0)...*courageux*... adolescent de 17 ans,
a découvert l' (1)..................... de M. Legrand, enseignant
d' (2)..................... au (3)..................... Marcel Pagnol.
La (4)..................... a arrêté deux hommes et une femme à
l'Hôtel des Fleurs. La jeune femme, (5)..................... de 25 ans,
est Maryline Chabaud, la remplaçante de M. Legrand. Le
professeur ne connaît pas la raison de son (6)..................... .

Vocabulaire

3 Associe chaque mot à son sens.

[f] récréation		**a**	personne qui prend quelqu'un en otage
1 ☐ héros		**b**	angoissé, qui a peur
2 ☐ effrayé		**c**	action de prendre quelqu'un en otage
3 ☐ ravisseur		**d**	amené à l'hôpital pour être soigné
4 ☐ hospitalisé		**e**	personne très courageuse
5 ☐ enlèvement		[f]	à l'école, la pause en milieu de matinée

48

Grammaire

4 Complète les phrases qui suivent par la bonne forme du verbe entre parenthèses.

C'est Sophie qui *a découvert* l'enlèvement. (découvrir)

1 C'est toi qui .... hier ? (téléphoner)

2 C'est moi qui .... la semaine dernière. (partir)

3 C'est mon frère qui m'................................. toujours à faire mes devoirs. .... (aider)

4 Ce sont mes grands-parents qui................................. me chercher à l'école le vendredi. (venir)

5 C'est nous qui vous .... à l'aéroport demain. (accompagner)

6 C'est vous qui .... la police il y a dix minutes ? (appeler)

Activité de pré-lecture

Compréhension orale (type DELF)

5 Écoute le début du chapitre 5 et dis si les affirmations suivantes sont vraies (V) ou fausses (F).

	V	F
Mme Mercier ne veut pas aider sa fille.	☐	☑
1 Mme Mercier est un peu fâchée.	☐	☐
2 Sophie et sa mère se rendent à l'Hôtel des Fleurs.	☐	☐
3 Rose est une employée de l'Hôtel des Fleurs.	☐	☐
4 Rose ne pose aucune question à Sophie.	☐	☐
5 Rose dit que la police a trouvé un scarabée dans la chambre des bandits.	☐	☐

Chapitre 5

La clé du mystère

▶ 6 Maman a décidé de m'aider, même si elle est un peu en colère.

Nous allons à l'Hôtel des Fleurs.

Rose, la propriétaire★ de l'Hôtel, est une amie de maman. Elle nous laisse entrer★ dans la chambre des bandits.

— La police est déjà venue ici, qu'est-ce que vous cherchez ? nous demande Rose.

— Franchement… nous ne savons pas.

Maman et moi cherchons partout★, mais malheureusement nous ne trouvons rien. Moi, j'ai les mains toutes sales et je vais dans la salle de bains pour me les laver.

Mais pourquoi l'eau coule aussi lentement dans le lavabo ?

la propriétaire (de) la femme qui a, qui possède
elle nous laisse entrer elle nous permet d'entrer
partout dans tous les endroits

Je regarde bien et… oh ! Le scarabée avec la bosse est là, dans le tuyau* du lavabo !

J'ai compris pourquoi ces personnes sont allées à la quincaillerie ! Pour démonter* le tuyau et prendre le scarabée !

Maman appelle Rose. Rose appelle un employé* et à la fin nous réussissons à prendre notre souvenir d'Égypte.

Maman m'accompagne à la maison, et va au commissariat de police.

le tuyau le tube par lequel s'écoule l'eau
démonter ouvrir
un employé une personne qui travaille pour la propriétaire de l'hôtel

18 mars

Moi aussi je suis une héroïne

Ce matin, maman m'appelle pour prendre mon petit déjeuner.

Quand je descends, elle me montre le journal sur la table et me dit :

– Lis !

Dans le journal, il y a un article qui parle de moi !

UNE ADOLESCENTE DE 14 ANS AIDE LA POLICE A RÉSOUDRE LE MYSTÈRE DE L'ENLÈVEMENT DU PROFESSEUR LEGRAND

LA CLÉ DU MYSTÈRE EST UN SCARABÉE AVEC UNE BOSSE !

Pendant la nuit, une longue correspondance* via Internet entre la police française et égyptienne a dévoilé* que ce petit scarabée est en fait très précieux. C'est la clé pour ouvrir la salle des jeux de la fille du pharaon dans l'antique Pyramide de Tukamen. Les autorités* du Caire ont proposé un jumelage* entre les deux villes.

une longue correspondance de longs échanges de messages
a dévoilé a fait comprendre, a montré
les autorités les personnes les plus importantes de la ville
un jumelage une union

19 Mars

Du courrier

Ce matin nous avons reçu une lettre du Caire !
Maman et papa m'ont demandé de l'ouvrir.
Ouah quelle émotion ! Je me demande ce qu'il y
a d'écrit !

Chere famille Mercier

Le directeur du musée national du
Caire et les autorités remercient✳
Mademoiselle Sophie Mercier d'avoir
trouvé la clé de l'Antique Égypte.
Nous invitons la famille Mercier à
passer deux semaines dans notre pays.

Alors oui ! ça c'est un beau cadeau !

remercient disent merci, témoignent de la reconnaissance

Activités de post-lecture

Vocabulaire

1 Associe chaque mot à son synonyme.

brusquement
1 lentement
2 attentivement
3 exactement
4 franchement
5 autrement

a sincèrement
b tout à fait
c différemment
d soigneusement
e doucement
f à l'improviste

Grammaire

2 Complète les phrases par les mots de l'encadré.

qu'	que	qui	quoi

Je crois ....*que*.... c'est la meilleure chose à faire.

1 Je sais à .... ressemble cette jeune femme.
2 Dans le musée il n'y avait .... cinq personnes.
3 .... est-ce que vous avez fait hier ?
4 Ce n'est pas ce à .... je pense.
5 Je veux découvrir à .... appartient cette voiture.
6 Je ne sais vraiment pas .... faire.
7 Qu'est-ce .... se passe ?
8 Peut-être .... cela va vous aider à comprendre.
9 Sophie pédale à toute vitesse, mais la voiture est plus rapide .... elle.
10 Valérie dit .... Sophie est trop méfiante.
11 Avez-vous de .... écrire ?
12 Heureusement .... il n'a pas plu.
13 Dans le journal, il y a un article .... parle de moi.
14 Le seul problème est .... j'ai peur !
15 Où est-ce .... tu habites ?

3 Mets les phrases suivantes au futur simple (a) et au futur proche (b).

Il fait nuit.

a *Il fera nuit.*

b *Il va faire nuit.*

1 Ils retournent chez le médecin.

a

b

2 Cela nous aide à comprendre.

a

b

3 Je lui demande de venir avec moi.

a

b

4 Nous faisons une leçon spéciale.

a

b

5 Sophie attend sa mère dans le jardin.

a

b

Activité de pré-lecture

Production orale (type DELF)

4 Explique comment Sophie a découvert la clé du mystère et pourquoi son scarabée est tellement précieux. (max. 5 mn)

L'Égypte et la France : Jean-François Champollion

Dans notre histoire, le professeur Legrand accompagne sa classe au musée égyptien, lequel se trouve sans doute* en France, car Sophie ne parle pas d'un voyage à l'étranger. Il peut donc s'agir du musée de Figeac.

Le musée de Figeac

La ville de Figeac, située dans le sud-ouest de la France, abrite* le musée Champollion, installé dans la maison natale de Jean-François Champollion (1790-1832), un des pères de l'égyptologie*. Les visiteurs peuvent y observer de nombreux objets liés à l'Égypte ancienne et découvrir l'histoire de l'écriture, depuis ses origines jusqu'à l'ère du numérique.

La pierre de Rosette

La renommée de Jean-François Champollion est inséparable de la célèbre pierre de Rosette, une stèle* en granodiorite* noir de plus d'un mètre de haut, qui fut découverte lors de la campagne d'Égypte (1798-1801) de Bonaparte, à l'époque où la France révolutionnaire était en guerre contre la Grande-Bretagne. Vainqueurs des Français en 1801, les Anglais se firent remettre la pierre de Rosette, qui fut exposée dès l'année suivante au British Museum de Londres. Aujourd'hui, une immense reproduction de la pierre de Rosette, accompagnée de sa traduction en français, se dresse sur la place des Écritures, à Figeac.

Place des Ecritures, Figeac

Le déchiffrement des hiéroglyphes

Dès 1800, une reproduction du texte gravé sur la pierre de Rosette fut envoyé en France, et plusieurs savants* entreprirent de le déchiffrer. Il s'avéra que les trois inscriptions gravées reproduisaient le même texte, dans trois systèmes d'écriture différents : les hiéroglyphes (l'écriture sacrée de la langue égyptienne), le démotique (l'écriture profane de la langue égyptienne) et le grec (la langue de l'administration à l'époque des Ptolémées). En 1822, après de longues années de travail, Jean-François Champollion, qui avait commencé très jeune à étudier les hiéroglyphes, réussit à les déchiffrer : le texte de la pierre de Rosette est un décret de 196 avant J.-C. qui institue le culte royal du jeune Ptolémée V, âgé de 13 ans, pour célébrer sa première année de règne.

Un exemple de hiéroglyphes

De célèbres enquêteurs francophones*

Jacques Clouseau

Cet inspecteur de police français, qui porte une moustache et des gants, est un personnage créé en 1963 par les Américains Blake Edwards et Maurice Richlin, respectivement réalisateur et scénariste* du film *The Pink Panther* (*La Panthère rose*). Jacques Clouseau doit protéger et retrouver le diamant qui donne son titre au film. Mais s'il arrive à résoudre les énigmes, il le doit au hasard et aux indices que d'autres lui fournissent. Distrait et maladroit, il se déguise pour enquêter incognito, mais ses tenues ridicules ne passent jamais inaperçues. Ce personnage a connu un immense succès non seulement au cinéma, mais aussi auprès des auteurs de dessins animés et de bandes dessinées.

francophones qui parlent le français

le scénariste l'auteur de l'histoire du film

60

Hercule Poirot

Le détective belge Hercule Poirot est le personnage le plus célèbre d'Agatha Christie (1890-1976), écrivain britannique, auteur de nombreux romans policiers de renommée internationale*, situés dans l'Angleterre de son époque. Hercule Poirot est un homme de petite stature, aux cheveux teints et à la moustache cirée, caractérisé par ses tenues de dandy* et par son obsession de l'ordre. Il est tellement sûr de lui et fier de son intelligence que ses adversaires, le jugeant ridicule, considèrent qu'il n'est pas à la hauteur de son rôle*. Pourtant, il est capable de résoudre une affaire sans quitter son fauteuil. Ses enquêtes se terminent toujours par des réunions où le détective rassemble tous les protagonistes de l'histoire sous le prétexte de leur dévoiler la vérité.

Pour découvrir le mystère qui si cache derrière son scarabée, l'héroïne de notre histoire décide de se mettre dans la peau du commissaire Maigret et de se transformer ainsi en Sophie Maigret.

Le commissaire Maigret

Le véritable commissaire Maigret se prénomme Jules, mais il n'existe que dans la fiction : il est né de l'imagination de Georges Simenon (1903-1989), célèbre écrivain belge, dont les romans policiers ont fait le tour du monde. Jules Maigret enquête sur des affaires qui ont lieu dans la France des années 1930-1960. Et Paris, où il vit et travaille, sert de décor à la plupart de ses investigations. Issu d'un milieu modeste, le commissaire Maigret est un homme simple, qui a fait de son métier une véritable passion. Il aime s'imprégner* de l'atmosphère ambiante, comprendre la psychologie des personnages et se laisser guider par son instinct. Cet homme à la stature imposante, aimant la bière et la blanquette de veau*, ne se déplace jamais sans sa pipe et son chapeau.

---

de renommée internationale célèbres dans le monde entier **tenues de dandi** vêtements très élégants **s'imprégner de** absorber comme une éponge **à la hauteur de son rôle** capable, compétent **blanquette de veau** plat à base de viande de veau bouillie, de carottes et de sauce au beurre

Bilan

1 Associe les noms de famille aux prénoms.

Simenon   **a** Jacques

1 Champollion   **b** Jules

2 Maigret   **c** Hercule

3 Poirot   **d** Jean-François

4 Clouseau   **e** Georges

2 Réponds aux questions.

Où se trouve le musée Champollion ?
À Figeac, dans le sud-ouest de la France.

1 Que peut-on observer au musée Champollion ?

....

2 Qui était Jean-François Champollion ?

....

3 Quand fut découverte la pierre de Rosette ?

....

4 Où est exposée la pierre de Rosette ?

....

5 Qui est-ce le commissaire Maigret ?

....

6 Quel est la nationalité du détective Hercule Poirot ?

....

7 Quel film a rendu célèbre l'inspecteur Clouseau ?

....

Contenu

///

Vocabulaire

Les rencontres
L'amitié
La famille
L'école
Les lieux
Les magasins
Les objets
L'histoire
La géographie
L'aventure

Grammaire

Le présent de l'indicatif
Le futur simple
Le futur proche
Le passé composé
L'imparfait
Le passé simple
L'impératif
Le conditionnel présent
Les questions et les mots interrogatifs

Lectures ELi Juniors